First published by Rose Bank Publishing 1996.

Copyright Fred Leich ©

Type setting and design by
Rose Bank Publishing
11 Church Lane,
Oulton
Stone
Staffs
ST15 8UL

Tel: 01785 813633.

Cover: A Boslem dialogue

By the same author

Sentinel Street
Potteries at War
Tales of Old Hanley
Mining Memories
St. John the Evangelist Oulton
(Notu Dignum)
Most Valiant of Men
Lest We Forget
Sentinel Street (2nd. Edition)

PLAYS

The Soldier's Return
The Conversion
A Place in the Country

THE SENTINEL
Christmas Stories
Articles

B.B.C. RADIO STOKE

(Tapes and recordings)
Tales of Old Hanley
The most Valiant of Men
Sentinel Street

Foreword.

England is famous for its many and varied dialects, from Scouse to Cockney to Geordie, and the warmth, humour and emotion they evoke.

One of these lesser known and more difficult dialects to understand is probably the local dialect of the Potteries. No-one from outside the area has ever been able to successfully master it, much to local amusement. Many actors have discovered this to their peril when exercising their craft in the production of one of Arnold Bennett's Five Town novels. (As a native of Longton - Neck End - I should point out that there are of course six towns that make up the City of Stoke-on-Trent).

A local person putting local dialect into book form provides not only an entertaining read but also an historical record of the nature of that dialect, used at a particular time. I also hope this book helps the million visitors Stoke-on-Trent is now fortunate enough to welcome each year, to understand what we're "on abite"

Councillor J.T.Dimmock J.P.

Preface.

After many requests I decided to write this book on North Staffordshire Dialect. Some may say that this is an idle speech and a corruption of the English language, and that it is time that it should be forgotten. Having been almost eradicated by the school master's assiduous care, and not wishing to offend -- Snobbery, I sincerely hope that we continue to speak and use it, for it is a part of our heritage, our character. It is colloquial and unique to this area of pots and pits.

It has been said by the pundits of the English language that it is the vernacular of the early Anglo Saxons.

Visitors to the Potteries are fascinated, indeed intrigued when hearing natives debating in the vernacular, and have been known to rush headlong to the nearest book store and enquire if they have a book that would interpret the meaning of our speech.

Hence the publishing of this small lexicon, and the inclusion of some of the myths, legends and sayings of the area.

The broadness of the dialect varies from north to south of the area, and with tongue in cheek I may say more refined as you travel or reside in the south. It also has changed in the passage of time and this can be seen in Chapter 13, A Burslem Dialogue, a conversation between a Mr John Tellwright and Ralph Leigh when they met in Burslem Market Place in 1810. (Taken from John Ward's 'The Borough of Stoke-upon-Trent).

The glossary, is in alphabetical order of words used in this book to assist in the interpretation.

May I be excused at the deliberate dropping of the 'H', and of my interpretation and spelling of the dialect , which may differ from other users.

Acknowledgements.

Ron Leigh. Publishing & Typesetting.
Councillor J.T. Dimmock Foreword.
S. Rodgers. Illustrations.
H. Wedgwood. Old Times in the Potteries.
J. Ward. The Borough of Stoke-upon-Trent

Contents

Chapter 1

GLOSSARY.

About.	Abite.	Bee	Bey
Abroad.	Abrode,	Beetle	Beytle
Account	Accint,	Beetroot	Beytroot
Afford	Affode	Before	Befoer
Again	Agin	Begin	Beygin
Ago	Agoo	Behind	Beyind
Agreed	Agrayd	Being	Beyin
Agree	Agray	Believe	Belave
Alive	Alave	Beneath	Benathe
Alone	Aloon	Blamed	Bleemed
Along	Alung	Bleed	Blade
All	O	Beneath	Benathe
Always	Owees	Boat	Bowt
Amazed	Ameezed	Bolt	Bowlt
Amount	Amint	Bore	Bower
And	An	Born	Bown
Anything	Owt	Borrow	Borrer
Are You	At	Both	Booth
Around	Arind	Bought	Bote
Arrived	Araved	Bound	Bind
Ask	Esk	Bout	Bite
Asleep	Aslape	Bowl	Bowel
Away	Awee	Bowler	Boweler
Aye	Ah	Brain	Breen
		Brave	Breeve
		Brawn	Brone
Baby	Babby	Break	Brack
Ball	Bo	Breathe	Brathe
Bank	Bonk	Breather	Brather
		Breed	Brade
Be	Bey	Breeze	Braze
Bean	Bane	Brief	Brafe
Beast	Beyst	Broad	Brode
Beat	Bate	Broke	Brok
Because	Becose	Brought	Brote
Beef	Bafe	Brown	Brine
Been	Bin		

1

Burial	Berrial	Count	Cynt
Burst	Bost	Counter	Cynter
Bursted	Bosted	County	Cyntee
Bursting	Bosting	Course	Cose
Bury	Berry	Coxhead	Coxyed
Buried	Berrid	Cream	Crame
Business	Biznes	Crease	Crase
By	Bey	Creek	Crake
		Creeper	Craper
		Cry	Crey
Can	Con/Cost	Crier	Creyer
Call	Co	Curse	Coss
Can't	Conner	Cursing	Cossing
Cart	Cat		
Carry	Cerry	Damage	Dameege
Catch	Cetch	Danger	Deenger
Chain	Cheen	Dark	Dack
Chair	Cheer	Daughter	Doter
Chalk	Choke	Day	Dee
Change	Cheenge	Daylight	Deelate
Cheap	Chape	Deebreak	Deebreek
Cheedle	Chadle	Dead	Djed
Cheek	Chake	Deal	Dale
Cheese	Chaze	Deed	Dade
Chief	Chafe	Deep	Dape
Chimed	Chaymed	Deceive	Desave
Claw	Clow	Decide	Desade
Clay	Clee	Degrease	Degrase
Clean	Clane	Degree	Degray
Cloud	Clide	Descend	Deysend
Clout	Clite	Devil	Divil
Clown	Cline	Didn't	Didna
Coat	Coot	Did you	Didst
Collapse	Cerlapsed	Die	Dey
Cold	Cowd	Died	Deyd
Complete	Complate	Doctor	Docter
Cottage	Cottege	Done	Dun
Could	Cud	Don't	Dunner/
Could have	Cudder/		Dustna
	Cudave	Door	Dooer
Couldn't	Cudna	Do you	Dust/Dost/
Council	Cinsil		Dustyer
		Doubt	Dite

Down	Dine	Feed	Faid
Downfall	Dinefo	Feel	Fale
Downpour	Dinepo	Feeling	Falin
Downright	Dineraight	Feet	Fait
Drain	Dreen	Fellow	Feller
Draw	Droe	Field	Faild
Drawer	Droer	Fifteen	Fiftain
Drawing	Droin	Fight	Fate
Drawn	Drone	Fighting	Fatein
Dream	Drame	First	Fost
Drown	Drine	Flaw	Flo
Drowned	Drined	Flea	Flay
		Flight	Flate
		Floor	Flooer
Each	Aitch	Fold	Fowld
Ease	Aise	Folk	Fowk
Easy	Aisey	Followed	Follerd
Eat	Ait	Follow	Foller
Eighteen	Eightane	Fool	Foo
Either	Aither	Football	Futbo
Elbow	Elber	For	Fer
Enough	Enuff	Forcast	Focast
Estate	Esteet	Force	Fose
Even	Aven	Forehead	Foyed
Exhaust	Exost	Forge	Foge
Exhausted	Exosted	Forget	Ferget
		Fork	Foke
		Fort	Fote
Face	Fees	Fortune	Fotune
Facing	Feecing	Forty	Foty
Faint	Feent	Fought	Fote
Fall	Fo	Found	Funt
Falling	Fo in	Four	Foer
False	Fose	Fourteen	Foertain
Far	Fer	Fourth	Foth
Farm	Fam	Freed	Frayed
Father	Faither	Free	Fray
Fault	Fote	Freeze	Fraze
Favourite	Favereet	Friend	Surry
Fear	Fayer	Fright	Frate
Feared	Fayed	Frighten	Fraten
Feast	Faste	From	Frum
Feat	Fate	Gain	Geen

3

Game	Geem	Heath	Athe
Garden	Gaden	Heave	Ave
Gate	Geet	Heed	Ade
Geese	Gase	His	Eeze
Get	Git	Hold	Ould
Giant	Geyant	Hollow	Oller
Give	Gi	Home	Wom
Given	Gin	Horse	Oss
		House	Ise
Go	Goo	Housekeeper	Isekaper
Goal	Gool	How	Ar
Going	Gooing		
Gold	Gowld	I	Ah
Golden	Gowlden	Ice	Ace
Gorge	Goge	Ideal	Idale
Gout	Gite	Inboard	Inbode
Gown	Gine	Inbreed	Inbrade
Grass	Gress	Increase	Incrase
Grave	Greve	Indecent	Indasent
		Indeed	Indade
Great	Greet	Indoor	Indooer
Grease	Grase		
Greed	Grade	Ing	In
Green	Grane	(Nearly all words ending in ing
Greet	Grate	the g is silent)
Grey	Gree		
Grief	Grafe	Inmate	Inmeet
Grieve	Grave	Into	Inter
Ground	Grind	Is	Eeze
		Isn't	Inner
'H' is not used	inner used.	It	Eet
Hadn't	Adner	I've	Ah've
Half	Afe		
Hall	O		
Halve	Ave	Jail	Jeel
Hasn't	Anna	Join	Jane
Have not	Astna	Joined	Janed
Have you	Ast	Jaw	Joe
He	E/eh	Just	Jest
Head	Yed		
Heading	Yeddin	Keep	Kape
Heap	Ape	Keeper	Kaper
Hearth	Arth	Killed	Kilt

Know	Knoo	Lower	Looer
Known	Knoon		
Knows	Knoost/		
	knowst	Made	Meed
Laid	Leed	Make	Mac
Landlord	Lanlode	Making	Macin
Lane	Lene	Man	Mon
Lash	Lesh	Market	Maket
Last	Lest	Marrow	Marrer
Lasting	Lestin	Mast	Mest
Late	Leat	Master	Mester
Later	Leater	Mate	Meet/Surry
Lath	Leth	Match	Metch
Lather	Lether	Maul	Mole
Law	Loe	May	Mun
Lawyer	Loeyer	Me	Mey
Lay	Lee	Meadow	Medder
Lead	Layd	Meal	Male
Leaf	Lafe	Mean	Mane
Lean	Layne	Meaning	Manein
Leak	Layke	Meat	Mate
Lean	Layne	Meek	Make
Leap	Laype	Meet	Meyt
Lease	Layse	Mermaid	Mermeed
Leash	Layshe	Merry	Mirry
Least	Layst	Mine	Marn
Leave	Layve	Mischief	Mischafe
Leek	Lake	Miss	Lass/Wench
Light	Layte	Moor	Mooer
Lighter	Layter	More	Mower
Lightning	Laytnin	Morning	Moning
Like	Lark	Mortar	Moter
Load	Lood	Most	Moost
Loader	Looder	Mother	Muther/Mam
Loaf	Loof	Motor	Muter
Loan	Loon	Mould	Mowd
Long	Lung	Moult	Mowlt
Look	Luk	Mount	Mynt
Looking	Lukin	Mountain	Mynteen
Loud	Lide	Mourn	Mone
Lounge	Lynge	Mouse	Mise
Love	Luv	Mouth	Mithe
Louse	Lice	Must	Mun

5

Mustn't	Munner/	Pan	Pon
	Mustner	Pancake	Ponceake
My	Ma	Pantry	Pontry
		Paper	Peeper
		Parcel	Passel
Nail	Neel	Pardon	Paddon
Name	Neam	Park	Pack
Narrow	Narrer	Parliament	Palimunt
Nice	Nase	Parlour	Paller
Near	Nayer	Part	Pat
Nearly	Nayerly	Patch	Petch
Neat	Nate	Pavement	Peevement
Need	Nade	Pawn	Pone
Needle	Nadle	Pay	Pee
Night	Nate	Paid	Peed
Nineteen	Ninetain	Peas	Paze
No	Na/Now	Peace	Pase
Noble	Nooble	Peach	Payche
North	Noth	Peel	Payle
Nose	Nowse	Peep	Pape
Nosey	Nowsy	Piano	Pianer
Notice	Nootis	Piece	Pase
Nothing	Nowt	Pillow	Piller
Nurse	Noss	Place	Plees
		Plain	Pleen
		Plank	Plonk
Old	Owd	Plate	Pleet
One	Wun	Play	Plee
Order	Oder	Played	Pleed
Ordered	Odered	Playing	Pleein
Ought	Owt	Player	Pleeyer
Ounce	Ince	Please	Plase
Our	Ah	Poke	Powk
Ourself	Ahsel	Poker	Powker
Out	Ite	Pool	Poo
Outhouse	Iteise	Pork	Poke
Over	O'er	Porter	Poter
Overall	Overo	Potato	Tater
Own	Oon	Pound	Pind
Pace	Peece	Pour	Poer
Pain	Peen	Pray	Pree
Pale	Peal	Psalm	Sam
Palm	Pam		

Purse	Poss	Round	Rind
		Row	Rew/Rue
		Sail	Seel
Queen	Quane	Sailor	Seelor
Queer	Quayer	Said	Sed
Quiet	Quayet	Saint	Seent
Quite	Quate	Sale	Seel
		Salt	Sote
		Same	Seem
		Saturday	Setterdee
Race	Rees	Sauce	Sose
Racing	Reesin	Save	Seev
Rail	Reel	Saw	Sow
Railing	Reelin	Say	See
Railway	Reelwee	Sayings	Seeins
Rain	Reen	Scald	Scode
Raise	Reese	School	Schoo
Rake	Reek	Scout	Scite
Range	Reenge	Scene	Sane
Rat	Rot	Scream	Scrame
Raven	Reevun	Screech	Scraitch
Raw	Roe	Screen	Scrane
Reach	Raitch	Seal	Sale
Read	Rade	Seat	Sate
Ready	Riddy	See	Sey
Real	Rale	Seem	Same
Realising	Raylisin	Seen	Sane
Reason	Rason	Self	Sen/sel
Rebellion	Rebelyun	Seventeen	Seventain
Rebound	Rebind	Shade	Sheed
Receive	Resave	Shadow	Shedder
Recent	Raysent	Shake	Sheek
Reel	Rayle	Shame	Sheem
Reep	Rape	Shape	Sheep
Rein	Reen	Shave	Sheeve
Relief	Relafe	She	Shay
Remain	Remeen	Shear	Shayer
Remould	Remoud	Sheep	Shape
Replied	Replade	Sheet	Shate
Report	Repote	Shield	Shayld
Right	Raight	Shine	Shane
Road	Rood	Shire	Sheer
Rode	Rood	Shoes	Shoos

Shoulder	Showder	Stain	Steen
Should	Shud	Stair	Steer
Shouldn't	Shudna	Stale	Steel
Shout	Shite	Stall	Stoe
Show	Shoo	Start	Stat
Showed	Shood	Station	Steeshun
Showing	Shooin	Stay	Stee
Shown	Shoon	Steady	Stiddy
Shrowd	Shride	Steam	Stame
Side	Sade	Steel	Stale
Sight	Sate	Steep	Stape
Sixteen	Sixtain	Steeple	Staple
Slave	Sleev	Stoke	Stowk
Sleep	Slape	Stone	Stoon
Sleet	Slate	Stool	Stoo
Sleeve	Slave	Store	Stoer
Sliding	Sladin	Story	Stoory
Slow	Sloo	Stove	Stoove
Snatch	Snetch	Straight	Streat
Sneak	Snake	Strain	Streen
Snow	Snoo	Strange	Streenge
So	Ser/soo	Strangle	Strengle
Soldier	Sowdjer	Straw	Strow
Some	Sum	Stray	Stree
Something	Summat	Streak	Strake
Sore	Soer	Stream	Strame
Sort	Sote	Street	Strate
Sound	Sinde	Stricken	Strickun
South	Sithe	Strong	Strung
Space	Speece	Subway	Subwee
Spade	Spede	Succeed	Sucsade
Span	Spon	Sunday	Sundee
Sparrow	Sparrer	Suppose	Serpose
Speak	Spake	Swallow	Swaller
Speech	Spache	Sway	Swee
Speed	Spade	Swede	Swade
Sport	Spote	Sweep	Swape
Spray	Spree	Sweet	Swate
Sprout	Sprite	Sword	Sode
Squeeking	Squakin	Table	Teeble
Squawk	Squoke	Tail	Teel
Stable	Steeble	Tailor	Teeler
Staffordshire	Staffordsheer	Take	Tak

8

Taking	Takkin	Tomb	Toom
Tale	Teal	Tommy	Tummy
Talk	Toke	Tomorrow	Termorrer
Tame	Teem	Tone	Toon
Tea	Tay	Town	Tine
Teach	Taitch	Trail	Treel
Team	Tame	Trailer	Treeler
Tease	Tase	Train	Treen
Teeth	Tathe	Treacle	Traycle
That	Thet	Treat	Trate
Thatch	Thetch	Tree	Trae
Thatched	Thetched	Trousers	Trisers
Thaw	Thow	Trout	Trite
Thee	Thee/They/Yo	Try	Tray
Then	Thun	Tuesday	Tuesdee
There is	Thees	Turnip	Chonock
They	Thee	Tweed	Twade
They had	Theed	Twice	Twace
There	Theer	Twilight	Tweylate
These	Thase		
Thief	Thafe		
Thieve	Thave		
Thirst	Thost	Vein	Veen
Thirsty	Thosty		
Thirteen	Thirtain	Village	Villeege
Thorn	Thone	Volunteer	Vuluntaer
Those	Thoos	Vote	Voot
Though	Thew		
Thought	Thote		
Thousand	Thisand	Wade	Weed
Thrash	Thresh	Wage	Weege
Three	Threy	Wager	Weeger
Through	Threw	Waggon	Wagine
Thursday	Thursdee	Waist	Weest
Thy	Thee	Wait	Weet
Thyself	Theesel	Wakes	Weaks
Tied	Taid	Walk	Woke
Tight	Tate	Walking	Wokin
Time	Tarm	Wall	Wo
To	Ter	Was	Wus/Wer
Today	Terdee	Wash	Wesh
Toe	Tew	Wasn't	Wanna
Told	Towd	Watch	Wetch

Water	Wayter	Write	Reyt
Wave	Weeve	Wrong	Rung
Way	Wee		
Weak	Wake		
Weapons	Weppons	Yard	Yad
Wed	Wid	Year	Yeer
Wedding	Widdin	Yeast	Yaste
Wednesday	Wensdee	Yellow	Yeller
Weed	Wade	Yes	Ah/Aye
Week	Wick	Yesterday	Yisterdee
Weep	Wape	You	Yo/Thee/They
Weigh	Wee		Thou/Yer
Weird	Weyerd	You are	Yoer
Wharf	Wofe	You'll	Theyt
What	Wot	Young	Yung
Wheat	Wate	Youth	Yuth
Wheel	Wale	You've	Yove
When	Wen	You will	Yoll/Theyt/
Where	Weer		Theet
While	Wail	Your	Yoer
White	Wate		
Who	Oo		
Who'd	Ood	Xmas	Xmis
Whole	Ool	Xray	Xree
Why	Wey		
Wide	Waid		
Widow	Widder		
Wild	Wayld		
Will	Wull/wun		
Window	Winder		
Wipe	Wape		
Wise	Wase		
With	Wi		
Without	Wi'ite		
Women	Wimin		
Wont	Wunna		
World	Werld		
Worse	Woss		
Worst	Wost		
Worth	Woth		
Would	Wud/wun		
Wouldn't	Wudna		
Wreath	Rathe		

Chapter 2

SAYINGS AND PROVERBS.

If thee kicks a bo aginst a wo theyt bost eet.
Eh cudna punch a ole threw a wet Sentnel.
Er wants ter know th insade an itesade o a dogs backsade.
Shays dressed up lark a dogs dinner.
Eh cudna fate eeze wee ite o peeper bag,
If er gits any thinner er'll fo dine a grid in th strate.
Eh's black as nate.
Eets black o'er Bill's muthers.
Eh's thet sloo eh'll cetch eezesel comin back.
Eh's got a fees lark a bosted clog.
Ers got a fees lark th back end of a bus.
Ah'll ave less lip from yo, yoer soft ard feesed
On th fost o march th crows start ter search.
If th cap fits wear it.
Fost things fost.
If thee lies dine wi dogs theyt get up wi flays.
Eet taks o sotes ter mak a werld.
O things come ter thoos oo weet.
If ite goos rung it wull
Yer conna mak a silk poss ite o pigs ear.
Ait an apple afer gooin ter bed, an yer'll mak th doctor beg eeze
bread.
If yer conna bate em, jane em.
Beggars conna bey choosers.
Eets better ter bey an owd mons darlin thun a yung mons sleev.
Better th divil thee knowst than th divil thee dustna.
Eets better ter ave loved an lost than never ter ave loved at o.
Th bigger thee are th arder thee fo.
A bird in thee ond eeze woth two in th bush.
Yer conna get blood ite o stoon.
Blood is thicker then wayter.
Ne'er cast thee clite till May is ite.
Wen cats awee, mice 'll plee.
Dunna cheenge osses in mid strame.
Charity begins at wom.
Dunna cynt thee chickens afer thee're atched.
Gi credit weer credit is due.

Eets na use a cryin' o'er spilt milk.
Dunna cut off thee nowse ter spite thee face.
Wen in dite do nite.
Wot th eye dunna say th eart wunna grave o'er.
Lark faither lark son,
Im oo fates an' runs awee, mey live an fate another dee.
Fost come fost served.
A foo an eeze brass are soon patted.
Thees now foo lark an owd foo.
Never luk a gift oss in th mithe
Them thet lives in glass ises shudna threw stoons.
If yer conna bey good bey careful.
Thees many a good tune pleed on an owd fiddle.
Th gress is owees graner on tother side o fence.
Afe a loaf eeze better thun now bread at o.
Yer conna ave yer cake an ait eet.
Ear o, sey o. see nowt, tak o, gi nowt, an if thee ever does owt
fer nowt do eet fer thee sen.
Yo con tak a oss ter wayter, but yer conna mak im drink.
In fer a penny, in fer a pind.
Wey kape a dog an bark thee sel.
Yo never knowst wot yo con do til yer tray.
Layst said soonest mended.
Life inner o beer an skittles.
Yo conna lose wot yer've never ad.
Wun mons loss eeze another mons gean.
Yer've made yer bed na lie in it.
Thees moer ter marriage than foer bare legs in a bed.
Wun mons mate eeze another mons poison.
Yo never miss th wayter 'til th well runs dry.
If thee dustna mak mistakes, yer dunner mak anythin.
Weer thees muck thees brass.
Thees nowt ser quayer as fowk.
Yer conna put an owd yed on yung showders.
Ite o debt, ite a deenger.
Ite o sate ite a moind.
If thee pees panuts yer'll git monkeys.
Tak care o th pennys an th pinds 'll luk after th'sels
Sey a pin an pick eet up, o th dee yo'll ave good luck. Sey a pin
an let eet lie, bad luck yo'll ave th rest o th dee.
Thees now plees lark wom.
If yo plee wi fire yo'll git burnt.
Promises lark pie crusts, are meed ter bey brokken.

Never put off till termorrer wot yo con do terdee.
Rome wanna built in a dee.
Gi a mon rope enuff an eh'll ang eezesel.
Dunna spoil ship fer aporth o tar.
From shirtslaves ter shirtslaves in threy generations.
Shrides dunna nade pockets thee knowst.
Six ours slape fer a mon, seven fer a woman, eight fer a foo.
A slice off a cut loof inna missed.
Dunna spake ill o th djed.
A squakin wale gets th grase.
If at fost yer dunna sucsade, tray, tray, agin.
Dunna tell teals ite o schoo.
Yer conna taitch an owd dog new tricks.
Set a thafe ter catch a thafe.
If eets woth doin eets woth doin well.
Think fost, an spake after.
Thote eeze fray.
Tarm eeze brass.
Termorrer eeze another dee.
Dunna trouble trouble till trouble troubles yo.
Two yeds are better than wun.
Two rungs dunna mak a raight.
Wot goos up must come dine.
Yer conna win em o.
Eh come in lukin lark a drined rot.
Shut thee lip afer ah shut eet fer thee.
Thee yed'll never seev thee legs.
Yo luk lark a muck bag taid in th middle.
Button thee lip.
D'yo live in a cinsil ise.
Eh's thet mane eh'd skin a gnat fer eets ide.
Eet'll aither reen or goo dark afer monin.

Chapter 3

Memento Mori

Thomas son of Thomas
and Mary MEAYKIN
Interred on July 16th 1781
Aged 21 years

As a man falleth before
wicked men. So fell I.
Bia Thanatas

BERRID ALAVE.

In a villeege cowd Rushton, nayer ter Lake thees a toomston in th church yad thet rades:-

Mermento Mori. *(thets latin thee knowst manein :-Remember thet yo mun dey,in other words, bey mindful o death).*
Thomas son o Thomas an Mary Meaykin
Interred July sixtainth seventain eighty wun.
Aged 21.
Bia thanatos. *(Thats Greek thee knowst manein: Death bey violence).*

Any rood up, yung Tummy Meaykin wen eh wer alive, left eeze wom at Rushton an tuk service wi a respectable family in Stoon. Eeze mester wer a apothecary, a chemist, thets wot thee cowd em in thoos dees. Th doter o th family wer a bonny wench an Tummy an er fell in luv wi wun nuther. Th mester didna lark this an sed soo, an warned yung Tum ter moind eeze Paze an Quews er else. Well yer knoos yersel wen yer in luv, eet taks a bit o dooin. Soo thee met in secret lark, but mester wanna blind nor wer eh daft eh knew wot wer gooin on under eeze nowse. Wun dee eh gi yung Tummy a drink tellin im thet eet wer a trate, a speshul potion eh'd meed up an eet wood do im th werld o good. Tummy wer a bit suspicious abite th mester gin im a trate an esitated afer takkin a drink.
"Goo on", said th mester. "Eet'll do thee good".
So, yung Tummy drunk eet up in wun goo. A bit leater eh wer tuk bad, an docter wer sent fer. Docter wer mistified an said soo. A bit leater th lad cerlapsed an docter said eh wer djed.
Tummy wer given a proper funeral an wer berrid in Church yad in Stoon. But eet dinna end theer. Thee wer a little oss thet Tummy luked after an used ter ride im wen eh wer takkin potions ite ter customers rind abite Stoon. This little oss thote a lot abite

15

eeze yung mester an th dee after Tummy wer berrid, th little oss wer sane tryin ter shift th soil off eeze greve wi is ooves an cryin lark. Fowk oo sow this thote eet wer funny an kept shiftin th little oss. But this didna stop im, eh kept comin back. So th fowk knoo na thet summat wanna raight, th little oss wunna let yung Tummy rest in pase, so thee dug im up an opened th coffin. Thee o fell back in orrer! Wey? Ah'll tell yer wey!

Yung Tummy wer fees dine an o crumpled up lark, eeze ands ad bin bladin weer eh bin clowin ter get ite---- th lad ad bin berrid alave!

Soo thee tuk im back ter weer eh'd bin bown--ter Rushton an berrid im theer. Th parson an Tummy's fowks thote at th tarm, on accint o th lads trejic an terrible death, eh might start auntin plees, soo thee berrid im opposite rood rind ter prevent eeze goost appearin. In other words eeze fate pointin ter th west. If yer ever goo ter sey eet, yer'll find th greve on th left of th east end o th owd Rushton church yad. Cowd th' Chappelle in th' Wilderness.

Oh ah, fer ah ferget, yer'll nootice thet th toomstoon dunna see th date eh dayd but only th date eh wer berrid.

Chapter 4

Th Owd Witch o Rownall

Th Owd Witch o Rownall

Shay wer bown in Bucknall an er moved ter an owd brokken dine thetched cotteege in Rownall jest this sade o Cheddleton. Th Squire o this plees wer a Capteen Powyss, an eh was awee at this tarm fatein in th battle o Waterloo. Any rood up, wen eh come wom,eh towd eeze men oo werked fer im ter fence a pase o common land ter stop some untin fowk eh didna lark crossin o'er this ere pase o land.

Th witch didna lark this an said soo, an put a coss on im an th land. Seein: "Crops theer wull grew but wunna arvest,an yo yer wicked mon wun dey an orrible death".

Th Capteen wer a ard mon an odered er coteege ter bey burnt ter th grind. Th witch went an wer never eard o agin.

Fer abite threy years th crops grew on this pase o land but deyed afer thee could raype. Thee tried wate, barley, an other crops,but eet wer o th seem, thee o deyed.Eet samed thet th witches coss ad cum true. Bey this tarm th Capteen ad done in th army an were fair maithered abite this ere coss th owd witch ad put on im. Wun dee, eh sat in a cheer wetchin eeze men arvestin another pase o land thet adna got th coss. Eh wer shitin eeze oders lark wot eh were used ter in th army. O of a sudden eh went quayet, an slumped dine in eeze cheer.

O eeze men o cose wer ter fratened ter esk im if eh wer o'raight except wun bloke, eh went an' esked im, "At o'raight squire?".

"Thees another, yet another.....th gress", th capteen mumbled.

"At ill"? Th mon esked.

"Ah", th Capteen said at last. "Get me wom"

Eet tuk abite foer of eeze men ter cerry im wom, cose eh wer a big eavy mon th capteen wer.

Docter wer sent fer an eh wer flumaxed. Some tarm leater th docter said th capteen wer djed.

After th funeral, th undertaker wer avin a pint an a bit ter ait in th Powyss Arms pub, neamed after th capteen thee knoost.

"Ah've berrid a few fowk in ma tarm but never a wun lark this" th undertaker said takkin up eeze pint pot wi a tremblin and.

18

"Wey, wot's mane"? esked th landlord.

"Cos...ah dunna think eh wer djed thet's wey." said th undertaker.

"Wot macs thee see that? Th docter said eh wer djed"

"Cos"... Th undertaker said, "Eh wanna stiff lark tother djed bodies ahve berrid. Eh wer still limber wanna eh?"

If yer esk mey th owd witches cos as come true agin. An ah tell thee surry twace moer. Two moer blokes deyd on seem plot o land sum tarm leater. Ah seem wee lark th' capteen did. Thee wanna stiff. Wot der thee cow it? Rigger motis, ah sum it lark thet any rood up.

Tokin abite capteen Powys, Yove erd abite th Chartist riots ah serpose an o th riotin thet tuk plees in th Potteries.

Well thee wer quate a terdo in Boslem, A greet mob o fowks wer pleein mirry ell theer, capteen Powys wi a dragoon o guards araved an read th riot act. Bey this tarm another cride janed em from Lake. Th mob wer thet big, thee desaded ter rush th sowdjers, ittin em wi sticks an threwin stoons at em.

Th sowdjers itin back at em wi th flat end o their sodes. Th mob wer shitin: "'Ooray fer Cogsey Nelly''. Eh wer wun o th ring layders. Th capteen shited: "Wot d'yer want ere?'' The Mob replade, "Ah raights an liberty. Th Charter an moer ter ait''. Th capteen ralisin thet eh cudna rason any lunger, odered th dragoons ter fire. In th fost volley a yung shoemakker from Lake wer killed ite raight. Eh wer it in th yed an eeze breens wer scattered o'er th peevement.

Chapter 5

TAM'S SKIN

TAM'S SKIN.

It appened durin th rebelyun in seventain foty five. Bonny Prince Charlie's army from Scotland ad got as far as Lake an wer avin a bit o rest on the wee ter London. Some o is men wer pleein ell rind theer an some got ter th villeege o Endun weer thee did a bit o pillagin.

Charlie got ter ear thet th Duke o Cumberland ad an army weetin fer im in Stoon, so eh desaded ter tak is men ter Darby ter get rind th Duke.

Theer wer a few stragglers an wun o em wer a young drummer lad oo wer in Endun neam o Tam. Squire Murhall oo lived at Mooer all abite a mile fom Endun was raight mad at avin thase takkin o'er is plees an doin damage, so im an is men got ould o this lad Tam an kilt im then skinned im. Thee tuk this ere skin ter th tannery in Endun an ad it tanned.

Th stoory goos thet th squire ad a drum meed ite o it an then ad it ung in Seent Lukes church in th villeege.

Ah dunna think God larked this, cose frum then on a lot a funny things appened rind abite, lark a lot o cattle deyin, fowk beyin funt djed o funny lark, an crops deyin thet nearly cosed a famine. Th villeegers put it dine ter th drum an shifted it ite o th church. Wot appened to it then now body seems ter know, p'raps less said soonist mended.

Any rood up, yung Tam adner fineeshed wi Endun, thee see thet eh's bin sane many a tarm wokin along Lake rood pleein is drum. Th squire didna get off Scot fray ither, some o Tams meets come back and bate im up an wer meed a cripple fer life. Thee wunna ferget Squire of Mooer all in Endun, an moost o oh theer wunna ferget yung Tam, cus th amlet weer it o appened is knoon ter dee as TOMPKIN. Tam skin. Ast got it?

O ah, an fer ah ferget, fowk livin arind theer con still ear osses ooves gooin dine Tompkin lene at nate, an wen thee luk ite thee con sey now osses. Some see its Bonny Prince Charley lukin fer is drummer lad

Eh must o bin a queer owd stick the squire wer. Cos ah tell yer wey.

In Seent Lukes Church in Endun, that's weer thee berrid im in that theer church yad, thees a monument to im an on it thees a ins a wots it. Ah that's raight an inscription that rades: Benathe lie th' remeens o William Murhall, Esquire, o Bagnall, oo dayd the foth o Janwary seventain sixty two. Part o wot ah possessed is left ter others, an wot ah gi awee remeens wi mey.

It dunna mac sense ter mey. Does it ter yo? It's a wunder ter mey eh anna bin dug up afer na, ter sey if eh ad is fortune berrid wi 'im.

Chapter 6

STOON WEAKES.

STOON WEAKES.

Thees a lot said abite the cerryin on thet goos on ter dee. But eets nite ter wot appened in Stoon weakes jest o'er a undred yeers agoo.

Thee wood come inter Stoon bey th wagine lood from th Potteries. No thote were gien ter th poor osses wot lood thoos poor animuls cud droe or ar many fowk th cats an wagines cud ould. Th Pottery lood, thets wot thee wer cowd,wer fayerful thase relateeves from pot bonks, an pits. Thee ate an drank as much as thee cud ould shitin and scramin o dee an o nate.

Thee wer oss reesin cock fatein bull batein an bare fist fatein an th guzzlin o Joules an Davison's ales wer a sate ter bey ould.

Eet wer repoted thet th yuthes o Stoon wer improvin th use o pottery slang an th nollidge of the nooble art o fatein wi ite th use o Quanesberry rules.

Theer wer wun ero oo ad fote the fost foer fates an won th lot an th wermen theer, ah some well dressed wuns an o. an sum wi babbies in th arms shited an scramed thet eh wus their ero. Moind yer this yung mon wer a magnificent specimun, physical lark, thee said eeze skin wer thet ard eet wer lark leather an wen eh wer eet thee meed now impression on eet.

Dog fatein lestin as lung as an 'our an th dogs tore aitch other ter ribbons an th cride shooin much pleasure in wetchin. Th bull baitin wer repoted ter bey 'Surpassingly fine'. Th bull threw one mon an eh meed two complate somersalts in th air.

Another wun did seem, eeze skull coming in contact wi th peevement, eeze yed wer thet ard thet eh did moer dameege ter th bricks than eeze yed. Thee wer many lucky escapes an th poor bull at th end ad wun orn missin an eeze nose o lacerated an bladin an ladies thote eh wer greet.

Thee wer scuffles an fates gooin on o dee an o nate, broken teebles, cheer legs, cups, pleets an glasses wer used as weppuns. Then thee wer ass reesin, bag reesin, dog fatein wi dogs terrin aitch other ter ribbons. Wun th wost sates wer th bear baitin, th poor bear wen eet wer o o'er, eeze fur wer angin from im lark ribbons, one eye wer gon an soo ad his tong bin ripped ite an eeze fees wer covered in blood an gore. Thee wer djed dogs lyin o o'er th plees.

Tarm ter goo wom in th early ours o th mornin. Th pottery fowk pilin on ter cats shitin an wermin scramein, layvin' beyind bodies o men an wermin sum ad bin knocked ite an sum wer in a drunken stupor. The plees wer lark a battle faild.

So yo remembers next tarm thees summit nasty in terdees peepers,an fowk see ''Eet didna 'appen in th owd dees''. Jest tell 'em wot used ter 'appen at Stoon weakes an tother pleeses.

Chapter 7

TAMBOURINE JACK.

TAMBOURINE JACK.

Tambourine Jack was wun o 'Anleys greet characters in th early eightain 'undreds. Eh wer bown in seventain sixty nine an eeze rale neam wer John Taylor. Eh janed th eighth King's own regiment, weer eh learnt ter plee the French orn, drums an th tambourine, thets weer eh got eeze neam from. Eh got the job of Tine crier o 'Anley, wen eh wer done wi th army. Wen th ocassion wer raight eh wud bey sane dressed in scarlet trisers, blue coot wi wate stockin's an rood abite on a pony,pleein eeze tambourine and shitin:'' O's Well'', lark tine criers do. Eeze other job eh did wer catin, an eh wer given th job o fetchin th bodies o threy men from Stafferd jeel wot ad bin ung theer an bring em back ter 'Anley ter bey berrid. Wey yer esk wer thee ung? Well ah'll tell yer.

Eet appened in eightain twenty. Five yung yooths from Snayde Grane,threy colliers an two potters. After theed finished work thee desaded ter ave a nate ite in 'Anley an ave a bit o fun lark. Wun o th livliest pleeses theer wer th Lamb Inn.

Eet wer well knoon fer gooins on such as cock fatin, bare fist fatin, ah an even th odd bite er two o wimen avin a goo egged on be men avin a bet on em. Thee wer o cose women o wot d'yer co em, wimen o aisey virtue. Won o thase wer a woman neam o 'annah Bowers an th five yooths an er got aquainted an after a few drinks wun on em esked er if eh could tak er wom, er agrayd an thee left th pub but th other foer follered. On raitchin th plees cowd th ollies, a pase a scrub land on th rood ter Snayde Grane, threy o th youths ad their wee wi er. Er said er didna moind wun an if eh ad peed er, but threy an not a penny, eet wer a bit ter much. So er towd th loe an th youths wer arrested an wer sent fer trial at Stafferd. Two on em wer let off, th other threy wer funt guilty an sentenced ter death. Eets raight, na dees thee wud a got a layte sentence an sent ter prison fer a few years.

Th threy wer Bill Walklate, Bill Toft, an Dan Collier.

Pertitions fer mercy bey th unred come from o o'er th plees, but eet didna mak any difference. Theed brokken th loe an theed got ter pee fer eet. A cheenge come o'er Bill Walklate wail eh wer weetin ter bey anged, eh started ter lecture th inmeets of th prison on sin an brakkin th loe.

Theer wer a lot o fowk that woked o th wee frum Pottries,ah thee wer 'undreds of em. Eet wer lark that in them dees yer no at an 'angin', theed cum from o o'er th country ter sey eet, eet wer a dee ite. Ah'll see this fer thase threy thee wanna afe breeve.Thee woked on ter thet scaffold wi ite a murmer. Toft come on fost, then Walklate follered bey Collier. As bowlt wer drone, thee wer eard ter see:'' Lord 'ave mercy'', an eet wer o o'er.

Tambourine Jack wer gin th job o takkin th bodies wom. Thee didna berry em in th prison yad in them dees.

Wen Jack, wi eeze gruesome lood rached th toll geets at Stoon eh nootised thet Collier mooved, ah eh didna think eh wer djed. Thee do see that eet wer fost tarm anybody 'ad bin given th kiss o life. Any rood Jack tried and then drove lark ell ter Pottries ter get a docter,eeze oss wer covered in lather wen eh got ter Stoke an nayerly deyd. But after o this poor Collier was funt ter bey djed. Thee wer a public itecry at th tarm fer angin' thase yuthes, an thee wer berrid in 'anley Church yad raight near weer thee used ter co th Slobs.

As fer Tambourine Jack, eh dayd in 1857 an wer berrid in Shelton church yad. Thee see thee wer o'er 1200 fowk at th funeral.

Chapter 8
THE GREVE IN TH FAILD.

In a faild jest above Seent Lukes church in th villeege o Endun, thees a greve. Eet used ter bey wot thee co a low alter toom wi iron reelin's arind eet. But eets o gone nar except th greve an o cose th bodies in eet. Theer wer toke thet thee wer gooin ter shift em an berry em proper lark in wot's eet, yer knoo in allered grind, ah thet's raight in church yad. Thee ad agoo, but wen thee come ter the greve proper thee desaded ter layve em bey.
Wey wer thee berrid theer in fost plees? Well ah'll tell yer.
Th story goos thet a potter neamed John Daniel o Shelton, ood dun o raight in biznes, bote a small esteet in Endun Bonk. Thee said eh wer a quayer chap, bey thet ah mane, eh wer studius an ad opinions thet wi ite o th ordinary. Eh wer a wot d'yer co em, yer know eh didna belave in God, ah an atheist thet's raight,thet's wey eh wer berrid in th faild an not in church yad. 'Eh wanna married an eeze sister lived wi im an was eeze icekaper. Shay, eet wer towd was a cheerful persun an kind, an er did belave in God, but when er deyd thee respected er wishes an er wer berrid in th same greve as er brother. an belave eet or not eeze pet black Newfoundland dog, be th name o Nell. Weet fer eet, thees moer, soo was eeze faverite oss.
Eets bin repoted thet th goosts o John an Alice an th dog Nell ave bin sane on moonlayte nates takkin a stroll dine th lene thet goos past th church.Th present owner wer towd thet eh wer sittin' on a fotune. Wen eh esked wey. Eh wer towd thet th oss thet wer berrid theer ad bin shod wi solid gowld shoos. Ah dunner think eh wants ter undo th greve ter find ite. Wun yo?

Chapter 9

SAUNTERIN' NED

SAUNTERIN' NED.

Ned werked in a pot bonk in 'Anley. Eh didna lark eeze job beyin stuck indooers. Eh larked nite better than beyin iteside in th country saunterin thet's wey ow eh come bey gettin cowd Saunterin Ned. Nor did eh spend eeze tarm gooin drinkin in eeze spare tarm lark th other potters,wen eh wanna werkin eh'd bey in th country bird wetchin an such. Fer them dees arind 'Anley th country wer grand.

Wun dee eh'd ad enough an eh said ter eeze boss eh wer packin eet in, an esked im if eet wer o raight if eh cud buy sum pots soo eh cud earn a livin gooin ter makets an sell em.

Th gaffer said: "O raight Ned if thet's wot thee wants ter do."

So Ned bote a little donkey an set off wi is pots ter Chadle Maket. Chadle wer quate a distance ter woke but that didna bother Ned eh wer iteside an enjoyin th fresh air.

"Eh did well on thet fost dee sellin eeze pots, in now tarm at o, set ite wi eeze little donkey ter goo wom. Th roods wanna lark thee ah ter dee thee wer narrer an full o ruts, an thee wer wot thee cowd foot pads abite oo robbed travellers wen it wer dack.

Ned ad thote abite this, an ter fraten thase villains eh fixed a pair o antlers from a djed deer ter eeze donkey's yed, an a cheen thet treeled beyind im macin a noise as eh woked alung. Yo con imagine wot a funny sate thase pair meed conna yer eh? Any rood up, wen thee got ter Buckna' Church eh wer a bit tired an Ned ad a rest bey the Church geet. Th donkey sensin thet thee wer some nase juicy gress in th church yad wandered in.

Abite this tarm arind eightane twenty, thee wer greve robbers, resurrectioners thee wer cowd, oo dug up newly berrid bodies ter sell ter ospitals fer disectin. In th greve yad this nate wer two o thase oo ad jest moved in th district fer fresh pickins. Thee ad wi em a oss an cat.

Ned's donkey on earin noises further in th church yad, an beyin a bit on th nowsy side desaded ter ave a luk wot wer gooin on. It wer a full moon thet nate an th wind wer a wistlin an in th distance a clock chaymed th our o midnate. A greve yad inner a pleece ter bey at this tarme o nate an sent shivers dine Ned's spine wen eh went in ter sey weer eeze donkey wer. Eh follered th sinde o th rattlin cheen then a piercin scrame filled th air. Th greve robbers on earin th cheen luked up ter sey wot it wer. Then thee sow it. Siloetted agen th moon a fratenin thing wi orns lukin dine on em an then it moved ter get a closer luk an th sind o cheens, thets wen one o them scramed, "Jasus, mother O' God", th other wun yelled, "Eets th Divil im sel so eet eeze". Wi ite another werd thee scrambled ite o th greve an ran as though th Devil wer after em,layvin th oss an cat beyind.Ned sauntered ter th greve an ralised wot ad bin gooin on. Eh chuckled ter imsel an patted th donkey on th neck, "Thee astna afe given em a frate owd lad, thee wunna bey doin this agen ah'll weeger". Wi this eh tuk up wun o th shovels an filled th greve up. Wi th oss an cat an donkey in tow eh meed eeze wee wom ter Saggar Rue in 'Anley, weer Ned lived. Eet inner cowed thet nar, eets cowed Parliament Rue.

Any rood up, next dee eh went ter sey Molly Albin oo lived in Tontine Strate on a little fam theer. Molly wer a milk woman, tine creyer, an a public officer oo kept order arind th plees. Ah'll tell yer moer abite 'er in another stoory leater.

Ned towd er wot ad appened, an esked er wot eh shud do abite th oss an cat. "Yo kape it", er said, "An if thee come back fer eet, come an sey mey an' ah'll ave th buggers".

So Ned did, an th greve robbers never did come back, theed done a bunk an wer never sane agin.

Ned wi is donkey an is oss an cat wer able ter cerry moer pots ter makets an eh become quate wealthy an in tarm ad is oon pot bonk. Ter dee eeze deyscendants ah well knoon in th Potteries makkin an sellin pots o rind th werld.

Chapter 10

TH MERMEED

TH MERMEED.

Thees a poo at a plees cowd Blakemooer on th mooers top side o Lake weer thee see a mermeed lives. Eets a fratenin pleece th wayter eeze o wees seem, eet never goos dry an never gets any bigger. Eets black an lifeless, cattle wunna drink from eet, an wunna goo near eet. Birds wunna fly o'er eet nor wunna drink from eet.

Abite a undred yeer agoo th farmer oo ooned th land o rind eet, desaded ter dreen eet, so wen it wer partly dreened th farmer an eeze werkmen got a shock, wen ite th pool a mermeed appeared an er wer angry an warned em that if th wayter wer allowed ter escape, thee wud drine o Lake an Lake Frith.

This fratened th farmer an eeze men an thee didna dreen any moer ite o eet. Th poo soon filled up an anna bin messed abite wi since.

Eets got anuther neam as well, Th Black Mere O' Morridge, an a little poem ar funt abite eet goos lark this:-

> A lake that prophetic noise doth roar,
>> Weer beysts con ne'er bey foced ter venture o'er;
>> Bey ounds or men, or fleeter death persued,
>> Thee'll not plunge in, but shun th ated flood.

This poo as moer than one legend abite eet. Some o dark dades o mystery an blood an others of frates an Goosts an goblins. In others er figgers as an allurin an destructive siren.

Chapter 11
MOLLY LEIGH.

MOLLY LEIGH.

Ah serpose thet yove all erd abite Molly Leigh, th witch thet lived in Boslem? Yer anna?

Molly lived in th 'Amil topside o Boslem in an owd thetched cotteege. Er wer born abite sixtain eighty an deyed abite seventain foty. Fowk wer superstitious abite witches in them dees an anywun thet wer a bit ite th ordinary thee kept clear of. Thee said that Molly ad a evil eye an wer bleemed fer every thin thet went wrong lark cattle deyin an aven turnin milk sour befer eet left th cow an kids beyin bad. Er wer an ugly lukin woman an ad a pet reevun fer a pet. This bird cud imitate o t'other birds, lark sparrers, black birds, linnets an such. Eet wud bey perched on 'er showder wen er wer abite sellin' milk, wich er did ter mak a livin.

Any rood up, theer wer a local vicar, name o Spencer oo larked eeze tipple an wer sane moer in th local tavern th Turks Yed than eh wer in Seent John's church. Eh declared thet eh wud do summat abite the reevun if nite else, an wun dee tuk a shot gun. Wen Molly earin abite eeze threts sent reevun ter sit on sign iteside th pub. Vicar at this tarm wer afe sozzled, tuk aim an fired but eh missed didna eh. Th bird squoked an flew back ter eets mistress. Fer many a wick after th Vicar ad terrible peens in eeze stomach, o cose eh bleemed Molly.

Wen er dayed, fowk, in Boslem wer raight glad. Eet wer a shockin wet dee wen er wer berrid in Seent John's Church yad. Thee wer only a few at th service, includin th Vicar an eeze cronies oo wer glad theed put er dine an covered er up. O on em then went ter th Turks Yed ter get a belly full o ale. Wen theed ad enuff thee o thote eet wer a good idea ter ave a luk in Molly's cotteege, cos none o them ad ever stepped foot inside theer wailst er wer alave. Th plees wer dark an fratenin, but a glimmer o layte wer shanin threw wun o th un weshed winders, an thee sow th owd witch sittin in er owd cheer mumblin ter er sel an knittin, an th reevun perched on er showder. Well yo con imagine wot

37

appened next conna yer,thee cudna get ite quick enuff an beyin'
afe cut as well. Thee wer panic strickun ah con tell yer, well
wudna yo bey? Ah know ah wud, seyin er theer after theed jest
berrid th woman. Two on em tripped an fell ter th flooer, threy
on 'em wer stuck in th dooer ole fatin ter get ite.
Any rood up, wen thee did get ite, thee o follerd th vicar an sote
refuge in th pub th Turks Yed ter cumfort themsels wi sum moer
ale. Thee wer raight flummaxed o wot appened an after a lot o
toke an moer pots o ale, thee desaded ter goo up ter th greve yad
ter sey if th witch wer still theer.
Eet wer nigh on midnate wen vicar, sexton, an two moer, aitch
wi a lantern an shovel araved at th greve sade, chantin sams an
mutterin other things ter gard themsels from evil spirits. Thee
stopped chantin an mutterin an nayerly deyd o frate wen a reevun
squoked, thee lifted th lanterns and theer on a nayer by trae sat th
jet black bird.Then a streenge thin appened, th raven gi ite a lide
squoke an dropped ite o th trae stoon djed. Ah eets raight ah tell
yer.
"Start thee diggin as quick as thee con", said th vicar ter th
sexton.
Eet tuk sum tarm wi a lot a swet an gruntin afer th spede thumped
on th coffin lid. Eet wer a nice nate at th tarm wi a full moon.
"Get th coffin ite", said th vicar.
Wi a struggle thee got eet on top o greve an opened th lid.
Theer er wer, ah layin paseful wi a smile on er fees. Thee wer a
bit flummaxed at avin sane er a few ours agoo sittin in a cheer in
er cotteege. Nar 'ere she wer large as life, well djed any rood up.
Vicar Spencer pleesed th djed bird on er showder weer it used ter
bey. then towd em ter cloose th lid.
"Wots gooin ter stop er comin back agin, lark er did befoer?"
Esked th sexton.
"Ah've thote o thet", said th vicar. "Wey'll berry er th wrung
wee rind, eets an owd wee ter stop djed fowk untin plees".
"Wot's mane?" Esked th Sexton.
"Wot ah said, wrung wee rind, er fait feesin west an er yed feesin
east".

38

Ah an soo thee did, an after a few werds from th vicar, Molly wer leed ter rest, an as fer as ah knoos ers never troubled fowk any moer.

Chapter 12

OWD SHAFTS.

OWD SHAFTS.

D'yer fale safe wen yer wokin rind in Noth Staffordsheer. Dun yer? Ah dunna surry, an ah'll tell yer wey. Plees eeze wun geyant beys oneycoombe. Theer wer abite threy undred an fifty collieries in th area thet are knoon sin eightane fifty, but thee wer many moer afer thet tarm thet wer cloosed an na record o weer thee wer, eets raight ah tell thee. th ooners wen thee ad drone o th coal ite put a few plonks o timber a few fate dine across shaft, an then filled top wi dirt. In tarm th timber rots an dine it goos an anythin thets on top. Thees many a buildin bin put up o'er em, not Knooin thet thee wer theer. Yer still dunna belave mey dunna yer, well ah'll tell yer of jest two incidents thet appened aloon in 'Anley.

On December eleventh ninetain undred an threy, a mon o neam Tummy Olland wer wokin alung Seent Johns strate jest befoer seven o clock in th monin on eeze wee ter werk at a pleece code Swan an Parker, candle makkers in Charles Strate, eet inner theer na o cose, cloosed dine yeers agoo. Tummy wer fifty six yeers owd an lived in Mint strate in Nothwood an this monin eh wer carryin a baskit on eeze arm.

A mon neemed Joe Pritchard wer stopped bey Tummy oo esked im th tarm. Joe towd im an stepped off peevement an statted ter woke cross th rood. Eh'd only gone a cupple o yads wen eh erd a shite. Eh lucked rind an sow Tummy foin lark wi eeze arms reesed oer eeze yed. Eh rushed back thinkin' th mon ad tuk bad or wer avin a fit. Wen eh got theer th mon wer now weer ter bey sane, insted weer eh ad bin theer wer a gapin ole.

Joe wer afeared an lucked dine th ole ter sey if eh cud sey th mon but theer wer nowt but blackness. Eh cud ear th sind o a body as eet struck wi sickenin thuds on eets wee dine follered bey dirt an other debris. Yo con imagine ow eh musta felt, eet cudder bin im foin dine theer wi Tummy, after o eet wer only a few seconds agoo eh ad esked im th tarme.

Th ole wer jest next ter number thirty foer an a Mister Powell lived theer. A bloke from number thirty, a Mister Elkin on earin th noise come ite, an Pritchard towd im wot ad appened. Elkin then knocked on Powell's dooer an shited ter im, an wen eh eard the bowlts beyin drone not ter come ite an towd im wey. Eh wer ameezed wen eh sow th ole o moost raight under eeze dooer step. Eh then went an fetched a laighted candle on which eh ad tade a pase a string an looered eet dine th ole. Eet ad only gon a few fate dine wen eet went ite. Ah tell thee wot surry, eets a wunder ter mey thee wanna blown up, eet wer full o gas yer sey. Any rood up, thee fetched the perlice oo roped th plees rind th ole an sent fer sum colliers frum 'Anley Dape Pit oo looered a safety lamp dine, this went ite wich shood th plees wer full o gas.

Thee then looered a rope abite foty yard lung wi a grapplin iron on th end. This didna do any good ither. Wun o th colliers, a breeve bloke, voluntayed ter bey looered dine ter sey if eh cud rescue Tummy, but bey this tarm th Inspector o Mines ad araved on sane, an eh refused ter let th collier goo, eet wanna jest cus o' th gas, but th shaft wer o ready ter fo in.

Soon after a few dees, eet wer desaded thet poor owd Tummy 'Olland cudna bey alive na, ter fill in th shaft an then thee ad a berrial service fer im. Soo wen next yer goo up 'Anley think o poor owd Tummy berrid theer under th peevement.

Theer wer plenty moer incidents thet appened, but wun cums ter moind thet as a goostly teal. In th last pat of th last century, theer wer a pub in Maket Plees in 'Anley code th Gowlden Lion, eet wer still theer moind till after th last war, but eet wer pulled dine jest after. Eet wer knoon bey local fowk as th Shangai. Eet wer sed that eet wer code thet becose some wermen o aisey virtue drunk in theer, an wun wer code Shangai Lil.

Any rood up, abite eightane ninety thee wer deliverin ale theer. Wen th barrels wer sladin dine wot thee code sledge from th dray, th grind opened an barrels an sledge went dine th ole. Eet wer another owd pit shaft opened up. Th pub wer pulled dine as ah said, an shops wer built on site. Thase a

rummer gooin rind thet won o th shops eeze aunted. Th
wenches oo werk in th shop wunner stop becose thee see thee
sey that threy goosts o yung lads con bey sane comin ite o th
shaft in a 'urry lark as tho theed bin a disaster er summat.
Soo think on wot ah said surry, wen theet in'Anley wetch we
thee puts thee fate, becose thee never knoost, thee cost bey
another Tummy.

Chapter 13
A BOSLEM DIALOGUE.

A BOSLEM DIALOGUE.

Between John Tellwright and Ralph Leigh.
(They meet in Burslem Market place in 1810)

T: Wal, Rafy hai dun taymes goo wi thee?

L: But midlin Mester Terrick; fur nai o' deys foke dunna care
mytch fur a poore oud mon.

T Whoy prithee nai tell me thy age, Rafe.

L: Oim turn't 82, mester, an that's a longish yorn.

T: Aye!- then theaw leddst me just a duzzin year. Wilt ha' a
noggin o' gin, Rafy?

L; If yo pleesin, thenk yo, mester. Oi dunna oaff'n get a
stoup, belee me; an oi ha' no mytch brass for't bey onny
miseln.

T: Wal,bu oi'll ston trayte; so cum, let's gooa to th' Turks
Yead, an ha' some o' Geoorgy Moore's draps, whoile we'
tawken oud matters o'er.

(They go to the Turks Head tavern, and Tellwright orders half
pint of gin, and two glasses).

T: Coom, sup it, Rafy; here's to thee.

L: It's meety noice, and varry strung, Mester Terrick.

T: Oi've oaff'n thout to ha' sum tawk wi' th', Rafy, hai mytch
things awert i' they teyme an' moine.

L: Aye, ther's hordly owt nai as it yoost t' a' bin.

T: Dust moind, Rafe, owt o' th treyal at Staffurt o' Johnny
Mutchil, for makkin Rafy Shay's patten ware?

L: Oi just remember, bu, oi wur only a big lad at th' teyme.
It had mytch tawk abait, an when it wur o'er, they aw toud'n
what th' judge sed to th' mesters,--"Gooa whom, potters an
mak what soourts o' pots yoa leyk'in". An when they coom'n
to Boslum, aw th' bells i' Hoositon and Stoke, and th' tahin
wurn ringin loike hey go' mad, aw th' dey.

T: That wur queer trick, wur it no' o' Rafy Dennil's?

L: Dun yo meeon th' cause o' his gooin to France, or as hai he geet int' th' workhais'n theer, an seed'n aw hai they did'n wi' ther ware?

T: Oi meeon him foindin ait i whot wey they mayd'n ther mewds.

L; That wur a fawse trick, for sartin, an of great teuse to the treyde. Bu what a blunder th' mesters here mayd'n, when he sent 'em word abait it.

T: Hai dust meon, Rafy? Oi am no' properly insens't on't

L: Whoy yo seen as hai they geet'n th' plaster ston fro' Darbyshur aw reet; bu' then, i'stid o' furst groindin it an bakin it into dust loike fleawr, an usin th' dust, wi' wayter, for t' cast on th' modills as they cawn em; th' mesters had th' raw ston cut i' shapes, an tryd'n for t'mak things oaf em; bu' they cudna; thin at last he sent em full word hai to' do.

The conversation between John Tellwright and Ralph Leigh having a drink in the Turks Head tavern goes on for several pages in the book Stoke-upon-Trent by John Ward.

In nearly 200 years there is a change in the dialect or probably the way it was transcribed, but never the less it can be read quite easily by a native of the area.